Wiener Urtext Edition

UT 50430

Ludwig van Beethoven

Klaviersonate op. 10/1
Mit Klavierstücken WoO 52 und 53

Piano Sonata Op. 10/1
with Piano Pieces WoO 52 and 53

Sonate pour piano op. 10/1
Avec les pièces pour piano WoO 52 et 53

Herausgegeben nach den Quellen von Peter Hauschild, neu revidiert von Jochen Reutter
Fingersätze von Gerhard Oppitz und Nils Franke
Hinweise zur Interpretation von Nils Franke

Edited from the sources by Peter Hauschild, newly revised by Jochen Reutter
Fingerings by Gerhard Oppitz and Nils Franke
Notes on Interpretation by Nils Franke

Editée d'après les sources par Peter Hauschild, révisée à nouveau par Jochen Reutter
Doigté de Gerhard Oppitz et Nils Franke
Notes sur l'interprétation de Nils Franke

Wiener Urtext Edition, Schott/Universal Edition

Wiener Urtext Edition, Musikverlag Ges. m. b. H. & Co., K. G., Wien
Ein Gemeinschaftsunternehmen der Verlage Schott Music GmbH & Co. KG, Mainz und Universal Edition, Wien

ISMN 979-0-50057-408-8

£6.99

VORWORT

Beethovens Sonate op. 10/1 in c-Moll bildet die erste von drei Klaviersonaten, die in den Jahren 1796–1798 entstanden sind; sie wurden – wie schon die Sonaten op. 2 – in einer Dreiergruppe zusammengefasst. Die Sonate erschien zusammen mit Opus 10 Nr. 2 und 3 im September 1798 bei Joseph Eder in Wien im Druck. Die Widmungsträgerin, Freiin Anna Margarete von Browne, geborene von Vietinghoff, war die Gattin des Grafen Johann Georg von Browne-Camus (1767–1827), dem Beethoven später die Sonate op. 22 zueignete.

Hatte Beethoven in seinen Klaviersonaten op. 2 Nr. 1–3 und op. 7 mit viersätziger Anlage und expandierenden Formen die Klaviersonate dem Gattungsrang einer Sinfonie gleichgestellt, so suchte er in Opus 10 nach kammermusikalischer Verdichtung und Konzentration. Dies spiegeln auch die Skizzen. Zur ersten der drei Sonaten skizzierte Beethoven zusammen mit dem 1. und 2. Satz ein Presto in c-Moll im 3/4-Takt, das ursprünglich als Scherzo an dritter Stelle im viersätzigen Sonatenzyklus seinen Platz finden sollte. Darüber hinaus enthält das sog. Kafka-Skizzenkonvolut[1] im Umfeld der Notierungen zum Finale von Opus 10/1 noch ein zweites Stück, ein Allegretto in c-Moll, ebenfalls im 3/4-Takt, das alternativ als Menuett hätte fungieren können. Beide Stücke aber schienen Beethoven wohl zu lang geraten, um sie als zweiten Mittelsatz in die neue Sonate aufzunehmen. Bemerkungen in den Skizzen zu beiden c-Moll-Stücken zeigen, dass der Komponist – vor allem wahrscheinlich im Hinblick auf den knapp disponierten Kopfsatz – hier andere Dimensionen für angemessen erachtete. So notierte er zum Presto: *In den neuen Sonaten ganz kurze Menuetten zu der aus C moll bleibt das presto aus.* Zum Allegretto findet sich eine präzisierende Anmerkung: *Die Menuetten zu den Sonaten inskünftige nicht länger als von höchstens 16 bis 24 T[akten].*[2] In letzter Konsequenz verzichtete Beethoven in den Sonaten op. 10/1 und op. 10/2 ganz auf die Menuette, nur der dritten, insgesamt wieder größer dimensionierten Sonate gestand er ein Menuett zu.

Presto und Allegretto in c-Moll haben sich als Einzelstücke für Klavier, das erstere unter der Werknummer WoO 52, das letztere unter WoO 53, erhalten. Beide Stücke hat Beethoven aber nicht im Entwurfsstadium liegen gelassen, sondern weiter ausgearbeitet. WoO 52 hatte er, worauf die nachträgliche Nummerierung *No 10* auf der ersten Seite hindeutet, wohl vorübergehend für die Sammlung der elf Bagatellen op. 119 in Betracht gezogen, von WoO 53 existiert eine zweite, revidierte Fassung. Motivisches Material dieses Satzes hat sich zudem im Mittelsatz der Sonate op. 10/2 niedergeschlagen. Das Kopfmotiv von WoO 52 scheint Beethoven sogar bis in die letzten Tage seines Lebens beschäftigt zu haben, taucht es doch in seiner letzten erhaltenen Skizze im Rahmen von Aufzeichnungen zu einem von Diabelli beauftragten Quintett wieder auf[3]. Dass die beiden Stücke im Anhang zu dieser Ausgabe der Sonate op. 10/1 wiedergegeben werden, soll nun keineswegs dazu verleiten, diese Sonate als vier- oder gar fünfsätziges Werk aufzuführen. Es mag aber für die Programmgestaltung interessant sein, im Rahmen ein und desselben Klavierabends die beiden Einzelstücke mit der Sonate zu konfrontieren und damit einen hörbaren Einblick in Beethovens Komponierwerkstatt zu vermitteln. Hierzu soll die vorliegende Ausgabe anregen und das Material kompakt bereitstellen.

Wie bei den übrigen frühen Klaviersonaten Beethovens hat sich auch zur Sonate op. 10/1 weder ein Autograph des Komponisten noch eine Abschrift von Kopistenhand erhalten. Die Edition kann sich somit in erster Linie nur auf die Erstausgabe stützen. Ergänzend wurden eine spätere Titelauflage und einige frühe Nachdrucke herangezogen. In letzteren sind zwei Änderungen im Notentext gegenüber der Erstausgabe besonders bemerkenswert: Im 1. Satz, Takt 161, korrigiert der Nachdruck von André (Offenbach 1811) – wie auch später der Nachdruck von Breitkopf & Härtel (Leipzig 1816) – das falsche *c″* im Akkord der rechten Hand auf Zählzeit 3 analog Takt 165 zu *as′*. Auch in einer späteren Auflage des erstmals 1801 erschienenen Nachdrucks von Simrock (Bonn 1824) ist dieses *c″* zu *as′* korrigiert. Das *c″* der Erstausgabe erweist sich hingegen als offensichtlich falsch ausgeführte Korrektur im Notenstich (vgl. dazu die Einzelanmerkungen). Kaum authentisch erscheint jedoch die Änderung des Grundtons im Akkord der linken Hand in Takt 31 des 3. Satzes von *d* zu *es* in der späteren, nach 1832 veröffentlichten Auflage des Nachdrucks von Haslinger. Sie ist aber insofern erwähnenswert, als sie in zahlreiche spätere Ausgaben Eingang gefunden hat (vgl. auch hierzu die Einzelanmerkungen). Die behutsame Redaktionspraxis der frühen Nachdrucke, die (vor allem im Bereich der Artikulation) oftmals sorgfältiger bezeichnet sind als die zuweilen ungenaue Erstausgabe, dienen der vorliegenden Edition ferner als Maßgabe für die Ergänzung offensichtlich fehlender Vortragszeichen; sie sind jeweils in den Einzelanmerkungen nachgewiesen. Ergänzungen des Herausgebers, die über den Textstatus der Frühdrucke hinausgehen, sind im Notentext durch eckige Klammern gekennzeichnet.

Die beiden Klavierstücke in c-Moll, Presto und Allegretto, haben sich hingegen im Autograph des Komponisten erhalten. Sie wurden allerdings erst postum im Rahmen der alten Beethoven-Gesamtausgabe veröffentlicht. Für die vorliegende Ausgabe wurden die Autographe mit den Erstdrucken verglichen, als Hauptquelle gelten hier freilich die Autographe, wobei im Falle des im Autograph zweimal aufgezeichneten Allegretto die Entscheidung zugunsten der späteren, insgesamt elaborierteren Fassung getroffen wurde. Zusätze aus den Erstausgaben sind im Notentext durch runde Klammern gekennzeichnet.

Jochen Reutter

---

[1] London, The British Library, Add. Ms. 29801. Faksimile und Transkription: Joseph Kerman, *Autograph miscellany from circa*

1786 to 1799: British Museum Additional Manuscript 29801, ff. 39–162 (The „Kafka sketchbook"), London 1970.

2 Vgl. *Ludwig van Beethoven – Thematisch-bibliographisches Werkverzeichnis. Revidierte und wesentlich erweiterte Neuausgabe des Verzeichnisses von Georg Kinsky und Hans Halm*, hg. von Kurt Dorfmüller, Norbert Gertsch und Julia Ronge, Bd. 2, München 2014, S. 131 und 133.

3 Staatsbibliothek zu Berlin – Preußischer Kulturbesitz – Musikabteilung mit Mendelssohn-Archiv, Mus. ms. Beethoven autogr. 10, 2. Heft, Bl. 6v.; vgl. *Ludwig van Beethoven – Thematisch-bibliographisches Werkverzeichnis*, Bd. 2, S. 131.

HINWEISE ZUR INTERPRETATION

Zwangsläufig hat ein Musiker unserer Tage einen anderen Zugang zum Notentext als ein Musiker aus Beethovens Zeit. Er steht – mit allen Vor- und Nachteilen – einer mehr als hundertjährigen Geschichte von Schallaufzeichnungen gegenüber, die oftmals die erste prägende Begegnung mit der Musik selbst darstellen. Sie mag aber auch dazu anregen, profundere Kenntnisse aus dem Notentext selbst herauszulesen.

Ein Blick in die Partitur der Sonate op. 10/1 offenbart ein Werk von scharfen, oftmals abrupten Kontrasten. Er enthüllt die komplexe Dichte des Werkes und vermutlich auch viel von seiner beabsichtigten Wirkung auf den Hörer. Dies betrifft Form und Inhalt des Stückes, aber auch das musikalische Detail, die Artikulation und die Dynamik.

Der 1. Satz, *Allegro molto e con brio*, hat eine konzise, streng geordnete Struktur, in der die Elemente der Sonatenhauptsatzform nur allzu offensichtlich sind. Beethovens Schüler Carl Czerny schlägt ein Tempo von ♩. = 72 vor, das der heutige Interpret an die Gegebenheiten des modernen Instrumentes anpassen wird. Was Czerny auf jeden Fall vermitteln möchte, ist das Denken in ganzen Takten, das die Charakterisierung des Affekts als *rasch und feurig*[1] unterstreicht. Als Gegensatz zur kantigen Struktur des Anfangsthemas ist das zweite Thema rhythmisch und dynamisch eher ebenmäßig, als wäre es für Streichquartett geschrieben. Czerny empfiehlt, die *ruhige Stelle* [T. 32ff.] ... *sehr legato, vierstimmig singbar und sodann die Gegenmelodie im Bass ausdrucksvoll* zu spielen, den *Charakter des Ganzen entschieden und männlich* zu nehmen[2].

Czernys Hinweis auf das Legato-Spiel scheint das zu unterstreichen, was als Aufführungsanweisung unmittelbar in den Noten steht. Denn als Czerny Beethoven 1801 zum erstenmal spielen hörte (nur wenige Jahre nach der Entstehung dieser Sonate), war der normale Anschlag noch das Non-Legato. In der Folgezeit erinnerte Czerny immer wieder an Beethovens Legato-Spiel, *das zu jener Zeit alle anderen Pianisten auf dem Fortepiano für unausführbar hielten*[3]. Aber schon Clementi empfiehlt in seiner Klavierschule von 1801: *Wenn der Komponist das legato und staccato dem Gefühle des Spielers überlässt, ist die beste Regel, hauptsächlich und am mehresten legato zu spielen ...*[4]. Die zahlreichen Bögen in Beethovens Partitur fordern klar die neue Spielweise; immerhin war der Komponist einer der ersten Vertreter dieses fundamentalen Wandels der pianistischen Spieltechnik.

Im Gegensatz zum Affekt des 1. Satzes verbindet der ausgedehnte 2. Satz, *Adagio molto*, deklamatorische Partien (z.B. T. 17–23) mit ornamentalen Einsprengseln (z.B. T. 28–30). Czerny ersucht den Spieler, den Satz mit dem innigsten Gefühl vorzutragen, *das durch schönen Anschlag und strenges Legato dem Instrumente entlockt werden kann*[5]. Sein Tempovorschlag ♪ = 69 enthüllt eine interessante Beziehung zum 1. Satz. Die Dauer eines ganzen Taktes im 1. Satz wird nun zur Dauer einer Achtelnote. Um die Vorstellung ausdrucksvoller Kontraste in diesem Satz zu betonen, schlägt Czerny vor: *Die kleinen Noten (im 17ten Takte u.s.f.) sehr schnell und kräftig, während die Verzierung im 18ten Takte äusserst leicht und delikat, ohne Unterbrechung zu spielen sei*[6]. Angesichts fehlender Pedalangaben in den Noten sind Czernys Anweisungen für T. 91ff. bemerkenswert: *Die letzten 22 Takte mit Verschiebung, die synkopirten Noten etwas markirt. Am Schlusse leise verhallend, mit beiden Pedalen. Dass das Ganze der Ausdruck innigster Empfindung und Zärtlichkeit ist, kann wohl von Niemand verkannt werden.*[7] Ganz allgemein berichtet Czerny über Beethovens Pedalspiel: *Der Gebrauch der Pedale war bey ihm sehr häufig, weit mehr, als man in seinen Werken angezeigt findet.*[8]

Im Finale, *Prestissimo*, scheint der Komponist die thematische Strenge des ersten und die „deklamatorischen" Elemente des zweiten Satzes zu vereinen. Der Satz ist klar strukturiert mit rhythmisch prononcierten Motiven, unterbrochen von einer scheinbar improvisatorischen Kadenz (T. 104–113), bevor eine abschließende Fanfare das Werk zu einem unerwartet leisen Abschluss bringt. Czerny schlägt ♩ = 96 für das Tempo vor, das man proportional auf die Tempi der beiden vorangegangenen Sätze beziehen sollte. Ein weiteres Mal unterstützt die Idee von scharfen Kontrasten und Überraschungsmomenten den Charakter dieses Satzes. Die Takte 23–26 haben einen markanten Bass, in dem die Oberstimme widerhallt, die wenige Takte zuvor zu hören war. Dieses Bassmotiv kommt gleichsam aus dem Nichts und bietet ein gutes Beispiel für die Vielschichtigkeit des Beethoven'schen Klaviersatzes. Beethovens Schüler Ferdinand Ries bemerkt hierzu: *Beim Spielen gab er bald der rechten, bald der linken Hand irgend einer Stelle einen schönen, schlechterdings unnachahmbaren Ausdruck; allein äußerst selten setzte er Noten oder eine Verzierung zu.*[9]

Czerny beschrieb den Eröffnungssatz als *entschieden und männlich*, den zweiten als *Ausdruck innigster* Empfindung, das Finale hingegen sei geschrieben *in jenem fantastischen Humor, der Beethoven so eigen war. Dieser Humor kann sich besonders im Mittelsatz (vom 17ten Takt an) durch ein launiges Ritardieren einzelner Noten äussern, obwohl man auch da im Ganzen dem sehr schnellen Tempo treu bleiben muss*.[10] Es gibt verschiedene Beispiele, die diese Sicht Czernys bestätigen: Die Takte 37–45 sind eine fortlaufende Sequenz von scharfen dynamischen Kontrasten, unterschiedlichen motivischen Ideen und einem Fortissimo-Akkord in T. 41, der scheinbar eingeworfen wird, um den Hörer zu überraschen. Um gleichsam den Spieler aber vor einem ausgelassenen Humor zu bewahren, warnt Czerny: *Doch ist der Charakter des Tonstücks keineswegs heiter, und daher darf der Muthwille des Spielers nie kleinlich und entstellend sein. Der humoristische Vortrag kann nur durch die meisterhafteste Beherrschung aller mechanischen Schwierigkeiten erreicht werden. Im entgegengesetzten Falle wird er zur unverständlichen, lächerlichen Carricatur*.[11]

Die Fülle an Vortragsanweisungen in dieser Sonate zeigt deutlich, wie genau im Detail sich der Komponist seine Musik vorgestellt hat. Wie man weiß, war Beethoven sehr eigen in allem, was den Ausdruck betrifft. Aus seinen Klavierstunden berichtet Ferdinand Ries: *Wenn ich in einer Passage etwas verfehlte, oder Noten und Sprünge, die er öfter recht herausgehoben haben wollte, falsch anschlug, sagte er selten etwas; allein, wenn ich am Ausdrucke, an Crescendo's u.s.w. oder am Charakter des Stückes etwas mangeln ließ,* wurde er aufgebracht, weil, wie er sagte, das Erstere Zufall, das Andere Mangel an Kenntniss, an Gefühl, oder an Achtsamkeit sei.[12]

Czernys *Briefe über den Unterricht auf dem Pianoforte* enthalten einen kurzen allgemeinen Hinweis auf Beethovens Musik, der in mancher Hinsicht auch das Wesen dieser Sonate umreißt. Danach erfordern Beethovens Werke *grosse charakteristische Kraft, tiefe Empfindung, oft auch fantastische Laune und ein theils sehr gebundenes, theils sehr markirtes Spiel*[13].

Nils Franke
(Deutsche Übersetzung Jochen Reutter)

1 Carl Czerny, *Über den richtigen Vortrag der sämtlichen Beethoven'schen Klavierwerke*, hg. und kommentiert von Paul Badura-Skoda, Wien 1963, S. 42.
2 Ibid.
3 Carl Czerny, *Erinnerungen aus meinem Leben*, hg. von Walter Kolneder, Baden-Baden 1968, S. 15.
4 Muzio Clementi, *Einleitung in die Kunst das Piano-Forte zu spielen*, Wien ca. 1801, S. 14.
5 Czerny, *Über den richtigen Vortrag*, S. 42.
6 Ibid.
7 Ibid.
8 Carl Czerny, *Anekdoten und Notizen über Beethoven*, in: Czerny, *Über den richtigen Vortrag der sämtlichen Beethoven'schen Klavierwerke*, hg. von Paul Badura-Skoda, Wien 1963, S. 22.
9 Franz Gerhard Wegeler / Ferdinand Ries, *Biographische Notizen über Ludwig van Beethoven*, Koblenz 1838, S. 107.
10 Czerny, *Über den richtigen Vortrag*, S. 42.
11 Ibid.
12 Wegeler / Ries, *Biographische Notizen*, S. 94.
13 Carl Czerny, *Briefe über den Unterricht auf dem Pianoforte*, Wien o.J., S. 47.

PREFACE

Beethoven's Sonata Op. 10 No. 1 is the first of three piano sonatas that were written in the years 1796–1798; like the Sonatas Op. 2 before them, they were combined into a group of three. The Sonata was published together with Op. 10 No. 2 and 3 by Joseph Eder in Vienna in September 1798. The dedicatee, baroness Anna Margarete von Browne, was the wife of Count Johann Georg von Browne-Camus (1767–1827), to whom Beethoven later dedicated the Sonata Op. 22.

While Beethoven, in his Piano sonatas Op. 2 No. 1–3 and Op. 7 with their four-movement layout and expansive forms, had put the piano sonata on a generic footing with the symphony, he was, in Op. 10, aiming for concise textures. This is also what his sketches suggest. For the first of the three sonatas Beethoven sketched, together with the 1st and 2nd movement, a Presto in C minor in 3/4 time that was originally intended to act as a Scherzo in the four-movement sonata cycle. In addition to this, the so-called 'Kafka sketchbook'[1] contains in the context of the sketches for the Finale of Op. 10/1 also a second piece, an Allegretto in C minor, also in 3/4, that could alternatively have acted as a Minuet. However, both pieces must have seemed too long to Beethoven to include them as a second central movement in the new sonata. Remarks in the sketches for both pieces in C minor show that the composer here found other dimensions more appropriate – in particular probably in relation to the concisely constructed first movement. With reference to the Presto he noted: 'In the new sonatas very short Minuets, for the one in C minor no Presto.' Concerning the Allegretto we find a specifying comment: The Minuets for the sonatas henceforth not longer than 16 to 24 bars at the most.'[2] Ultimately, Beethoven dispensed entirely with the Minuets in the Sonatas Op. 10/1 and Op. 10/2, only for the third, on the whole larger-scaled sonata did he allow for a Minuet.

Presto and Allegretto in C minor have survived as stand-alone piano pieces, the former under the opus number WoO 52, the latter under WoO 53. However, Beethoven did not put the pieces aside in their draft version, but elaborated them further. Temporarily he probably considered WoO 52 for the collection of eleven Bagatelles Op. 119, suggested by the subsequent numbering *No 10* on the first page, while WoO 53 exists in a second, revised version. In addition, motivic material of this piece was incorporated in the middle movement of the Sonata Op. 10/2. The head motif of WoO 52 seems to have occupied Beethoven even until the last days of his life, since it resurfaces in his last preserved sketch in connection with notes for a quintet commissioned by Diabelli.[3] The fact that these two pieces are reproduced in the appendix of this edition of the Sonata Op. 10/1 should, of course, not be misunderstood as an invitation to perform this sonata as a four- or even five-movement piece. But it may be interesting for a piano recital program to confront the two stand-alone works with the sonata and thus provide an audible peek into Beethovens composer's workshop. The present edition aims to encourage this by making the material available in a compact format.

As with the other early Beethoven sonatas neither an autograph nor a copyist's copy of the Sonata Op. 10/1 have survived. The present edition is therefore based primarily on the First edition. To complement it a later title edition and a number of early reprints were consulted. In the latter, two changes in the musical text as opposed to that of the First edition are remarkable: In the 1st movement, bar 161, the reprint by André (Offenbach, 1810) as well as the later reprint Breitkopf & Härtel (Leipzig, 1816), both published in Beethoven's lifetime, diverge from the First edition. On the third beat of this bar they correct the false *c″* in the chord of the right hand analogous to bar 165 to *a′ flat*. Also in a later 1824 edition of the reprint first published in 1801 by Simrock in Bonn this *c″* was corrected to *a′ flat* (cf. on this the detailed notes). By contrast, the changed bass note of the left hand chord from *d* to *e flat* which appears in bar 31 of the last movement in the later edition of Haslinger's reprint (published after 1832) seems hardly

authentic. It is, however, worth mentioning because it was adopted in numerous later editions (cf. also the detailed notes). The careful editing practice of the early reprints which (above all in the area of articulation) are often more accurately marked than the sometimes imprecise first edition serves the present edition as a guide for the amendment of evidently missing performance indications; these indications are commented on in the detailed notes. Editorial additions that go beyond the textual status of the early editions are indicated in the musical text by square brackets.

The two piano pieces in C minor, Presto and Allegretto, by contrast, have survived in the composer's autograph. They were, however, only published posthumously in the framework of the old Beethoven Complete Edition. For the present edition, the autographs were compared with the First editions, but the autographs remain the principal source; in the case of the Allegretto, which exists in two versions, the later, generally more elaborated version was chosen as the primary reference. Additions from the First editions are marked with parentheses in the musical text.

Jochen Reutter
(Translation Matthias Müller)

[1] London, The British Library, Add. Ms. 29801. Facsimile and Transcription: Joseph Kerman, *Autograph miscellany from circa 1786 to 1799: British Museum Additional Manuscript 29801, ff. 39–162 (The „Kafka sketchbook")*, London 1970.

[2] See *Ludwig van Beethoven – Thematisch-bibliographisches Werkverzeichnis. Revidierte und wesentlich erweiterte Neuausgabe des Verzeichnisses von Georg Kinsky und Hans Halm*, ed. by Kurt Dorfmüller, Norbert Gertsch and Julia Ronge, Munich, 2014, vol. 2, p. 131 and 133.

[3] Staatsbibliothek zu Berlin – Preußischer Kulturbesitz – Musikabteilung mit Mendelssohn-Archiv, Mus. ms. Beethoven autogr. 10, 2. Heft, Bl. 6v.; see *Ludwig van Beethoven – Thematisch-bibliographisches Werkverzeichnis*, vol. 2, p. 131.

NOTES ON INTERPRETATION

Inevitably, today's performer often approaches working with a musical score very differently to the musician of Beethoven's time. Having both the benefit and the burden of over a century's worth of recorded (and readily available) history, one's first point of contact with a score may indeed be influenced by a number of recordings. Starting the learning process of this sonata with an aural image of the work partially in place may therefore lead to quite different outcomes to needing to obtain as much information from the score itself, as was customary for many musicians until the early parts of the 20th century. It is thus an interesting exercise to attempt to take a step back, and to look in the first instance at Beethoven's score through the eyes of someone, who may be entirely reliant on the printed information given.

A bird's eye perspective of the score reveals a work of sharp, and often sudden, contrasts. This applies to the form and the narrative of the piece, as well as in musical details such as articulation and dynamics. It reveals much about the work's exuberance and, presumably, intended impact on its listeners.

The 1st movement, *Allegro molto e con brio*, is a concise, tightly controlled structure in which sonata form elements are all too apparent. Beethoven's student Carl Czerny suggests a tempo of ♩. = 72, which today's performer may wish to adapt to the circumstances of playing on a modern piano. What Czerny identifies, though, is a feeling of one beat per bar, which explains his characterisation of the music's mood as being 'in quick and fiery time. An earnest spirit must here sway the time.'[1] In contrast to the chiselled keyboard texture of the opening theme, the second theme (bar 32) is rhythmically and dynamically rather uniform, and its texture could easily have been scored for string quartet. Czerny recommends playing 'the tranquil passage ... very *legato*, the four part *cantabile*, and then the counter melody in the bass with much expression'. The character of the overall movement is, according to Czerny, 'decided and manly'.[2]

Czerny's references to legato playing seem merely to underline the performance directions of the score. However, when he first heard Beethoven play in 1801 (only a few years after the present work was completed), the basic keyboard touch was still non-legato. Czerny subsequently recalled Beethoven's use of legato, claiming that 'all other pianists at that time considered [it] unplayable on the fortepiano.'[3] On the other hand, Clementi's piano method of 1801 already advises that 'when the composer leaves the legato and staccato to the performer's taste; the best rule is to adhere chiefly to the legato; reserving the staccato to give spirit occasionally to certain passages and to set off the higher beauties of the legato.'[4] It seems, therefore, that Beethoven's markings in the score clearly demand a 'new' way of playing; one which was at the forefront of a fundamental change in the development of piano technique.

In contrast to the mood of the first movement, the more expansive 2nd movement, *Adagio molto*, incorporates declamatory (e.g. bars 17–23) as well as heavily ornamented interjections (e.g. bars 28–30). Czerny asks the performer to approach the movement 'with the most intense feeling, which can only be produced on the instrument by a beautiful touch and strict legato'.[5] His tempo recommendation of ♪ = 69 sets out an interesting relationship between the first and the second movements; what is broadly the tempo for a whole bar in the first movement equals near enough one quaver beat in the second movement. As if to emphasise the notion of expressive contrasts in this movement, Czerny suggest that 'the small notes (in the 17th bar and elsewhere) [should be] very quick and strong' whereas 'the embellishment in the 18th bar extremely light and delicate, without interruption.'[6] In the absence of the composer's pedal markings in the score, Czerny's instructions from bar 91 onwards are worth noting: 'the last 22 bars with the soft pedal; the syncopated notes lightly marked. At the end, gently murmuring, with both pedals. That the whole is the expression of the deepest sentiment and tenderness no one can deny.'[7] More generally, Czerny recalled that Beethoven 'made frequent use of the pedals, much more frequent than is indicated in his works.'[8]

In the finale, *Prestissimo*, the composer appears to bring together the spirit of the thematic strictness of the opening movement and the exploratory mood of the central movement. It is a clearly structured piece of rhythmically driven motifs, interrupted only by a seemingly improvisatory cadenza (bars 104–113) before a final flourish brings the work to a, possibly unexpectedly, quiet end. Czerny's suggested tempo indication is ♩ = 96, which today's performer's may adjust proportionately, according to the tempi chosen for the preceding two movements. Once again, the notion of decisive contrast, even surprise, underpins the mood of this movement. Bars 23–26 have a distinctive bass which echoes the treble line, heard a few bars earlier. This bass line appears almost from no-where, and is clearly an example of voicing in Beethovenian pianism. Ferdinand Ries, also a student of Beethoven's, recalled that 'when playing, [the composer] gave at certain points a beautiful, rather inimitable expression, sometimes to the right and sometimes to the left hand.'[9]

Czerny described the opening movement as 'decided and manly', the second as requiring 'the most intense feeling', whereas the finale 'is altogether written in that fantastical humour which was so peculiar to Beethoven. This feature may be displayed particularly in the middle subject (from the 17th bar) by a humourous retardation of single notes, though, in the whole we must there also remain true to the rapid time.'[10] There are several examples that support Czerny's view of this movement as being humour and, in the broadest sense, aiming to entertain. Bars 37–45 are a continuous sequence of sharp dynamic contrasts, different motivic ideas, and a *ff* chord in bar 41, seemingly thrown in to catch out the listener. As if to prevent performers from getting a little too carried away, Czerny warns of the danger of losing clarity in articulation: 'Still the character of the piece is by no means serene, and therefore the sportiveness of the performer must never be disfigured or diminished. The humourous performance can only be attained by the masterly subjugation of all mechanical difficulties. If otherwise, it would only appear as an incomprehensible and laughable caricature.'[11]

The comparatively plentiful performance indications in this score of 1798 are clear evidence of the composer's detailed transmitting of how the music was imagined. Beethoven was known for being rather particular about expression, even at the expense of accuracy. Ferdinand Ries recalled his piano lessons with Beethoven: 'if I missed something in a passage, or played wrong notes or leaps ... he rarely said something; however, if it was deficient in expression, in crescendos an so on, or in the charcater of the piece, he became agitated because he claimed that the former was accidental, but the latter was due to a lack of knowledge, feeling and attention.'[12]

Czerny's *Letters about Teaching the Pianoforte* contain a brief reference to Beethoven's music in general; offering a characterisation that in many ways summarises the very essence of this sonata. Czerny suggests that Beethoven's music requires 'great characterising strength, deep expression, often a moody humour and a playing style that is partially very connected, and partially very marked.'[13]

Nils Franke

[1] Carl Czerny, *The Proper Performance of Beethoven's Works*, London, n.d., p. 40.

[2] Ibid.

[3] Carl Czerny, *Erinnerungen aus meinem Leben*, ed. by Walter Kolneder, Baden-Baden, 1968, p. 15.

[4] Muzio Clementi, *Introduction to the Art of Playing on the Piano Forte*, London, 1801, p. 14.

[5] Czerny, *The Proper Performance of Beethoven's Works*, p. 40.

[6] Ibid.

[7] Ibid.

[8] Carl Czerny, *Anekdoten und Notizen über Beethoven*, in: *Über den richtigen Vortrag der sämtlichen Beethoven'schen Klavierwerke*, ed. by Paul Badura-Skoda, Vienna, 1963, p. 42.

[9] Franz Gerhard Wegeler / Ferdinand Ries, *Biographische Notizen über Ludwig van Beethoven*, Koblenz, 1838, p. 107.

[10] Czerny, *The Proper Performance of Beethoven's Works*, p. 40.

[11] Ibid.

[12] Wegeler / Ries, *Biographische Notizen*, pp. 93–4.

[13] Carl Czerny, *Briefe über den Unterricht auf dem Pianoforte*, Vienna, n.d., p. 47.

PRÉFACE

La Sonate en ut mineur op. 10/1 de Beethoven est la première des trois œuvres de cet opus écrites entre 1796 et 1798, réunies – comme auparavant les Sonates op. 2 – dans un groupe de trois compositions.

Si Beethoven, dans ses Sonates pour piano op. 2 No. 1–3 et op. 7, avec leurs quatre mouvements et leur vaste étendue formelle, avait élevé le genre de la sonate pour piano au même rang que la symphonie, il cherche dans son opus 10 à atteindre une forme plus compacte et plus concentrée. C'est ce que reflètent les esquisses. Concernant la première des trois sonates, Beethoven compose parallèlement aux 1er et 2e mouvement l'esquisse d'un *Presto* en ut mineur à 3/4, qui aurait été ajouté à la troisième place en tant que Scherzo dans un cycle de sonates en quatre mouvements. De plus, ce recueil nommé « Recueil d'esquisses de Kafka »[1], comporte dans le contexte du Finale de l'opus 10/1, un *Allegretto* en ut mineur, également en mesure à 3/4, qui aurait pu servir alternativement de Menuet. Mais il semble que Beethoven ait considéré ces deux pièces comme trop longues pour servir de deuxième mouvement central à la nouvelle sonate. Certaines remarques apportées par le compositeur sur ces deux esquisses en ut mineur prouvent qu'il souhaitait sans doute des dimensions plus appropriées – surtout étant donnée la forme réduite du mouvement initial. Il note ainsi au sujet du Presto : « Dans les nouvelles sonates, des menuets très courts, pour celle en ut mineur, on laissera le Presto de côté. » Concernant l'*Allegretto*, il apporte une précision : « À l'avenir, les Menuets des sonates ne doivent pas dépasser la longueur maximale de 16 à 24 m[esures]. »[2] Finalement, Beethoven renonce définitivement aux Menuets dans les Sonates op. 10/1 et op. 10/2, seule la troisième, qui est à nouveau de plus vaste ampleur, en comporte un, assez bref.

Le *Presto* et l'*Allegretto* en ut mineur nous sont parvenus comme pièces séparées, le premier avec le numéro d'œuvre WoO 52, le second comme WoO 53. Beethoven n'en est pas resté au stade de l'esquisse, mais a continué à les élaborer par la suite. Comme l'indique la numérotation ultérieure *No. 10* notée sur la première page, il avait sans doute envisagé d'adjoindre WoO 52 à la collection des onze Bagatelles op. 119. Il existe par ailleurs une seconde version révisée de WoO 53. Certains motifs de ce mouvement

se retrouvent en outre dans le mouvement médian de la Sonate op. 10/2. Toutefois le fait que nous imprimions ces deux morceaux en annexe de notre édition de la Sonate op. 10/1 ne doit en aucun cas inciter les pianistes à interpréter cette sonate comme une œuvre en quatre ou cinq mouvements. Mais dans la programmation de concerts, il pourrait être intéressant de confronter ces deux pièces séparées avec la sonate dans son entier et permettre ainsi de jeter un coup d'œil sur la manière dont Beethoven travaillait. C'est le but de la présente édition qui met ainsi à la disposition des interprètes un matériel compact.

Comme c'est le cas pour toutes les autres sonates pour piano du jeune Beethoven, nous ne possédons pour la Sonate op. 10/1 ni autographe du compositeur, ni copie faite par un copiste professionnel. L'édition ne peut donc s'appuyer que sur la première édition. En complément, nous avons également consulté une réimpression ultérieure sous un nouveau titre et quelques rééditions. Ceux-ci comportent deux modifications de la première édition qui sont particulièrement intéressantes : Dans le 1er mouvement, mesure 161, les rééditions d'André (Offenbach 1810) et de Breitkopf & Härtel (Leipzig 1816), parues du vivant de Beethoven, divergent toutes les deux de la première édition. Elles remplacent au troisième temps le *do⁴* douteux de l'accord à la main droite, par analogie avec la mesure 165, par un *la bémol³*. De même dans une édition ultérieure (1824) de la réédition publiée pour la première fois en 1801 par Simrock à Bonn, ce *do⁴* a été corrigé en *la bémol³*. Dans la première édition ce *la bémol³* semble une erreur sur la plaque de gravure. Et la modification du son de base *ré²* en *mi bémol²* dans l'accord de la main gauche à la mesure 31 du 3e mouvement, apportée après 1832 sur la plaque de gravure dans l'édition ultérieure de la réimpression de Haslinger, ne semble pas authentique. Il convient toutefois de signaler cette version car elle a été reprise dans de nombreuses éditions ultérieures. La pratique de rédaction extrêmement prudente des anciennes réimpressions, généralement plus précautionneuse que celle des premières éditions souvent imprécises (surtout en ce qui concerne l'articulation), sert de modèle dans la présente édition pour compléter des signes d'articulation oubliés de toute évidence ; ils sont chaque fois justifiés par des notes détaillées. Les ajouts de l'éditeur sont indiqués entre crochets.

Les deux pièces pour piano en ut mineur, *Presto* et *Allegretto*, nous sont parvenus pour leur part sous forme d'autographe du compositeur. Ils n'ont cependant été publiés de manière posthume que dans le cadre de l'ancienne Édition complète des œuvres de Beethoven. Pour notre publication, les autographes font office de source principale.

Jochen Reutter
(Traduction française : Geneviève Geffray)

1 Londres, The British Library, Add. Ms. 29801. Facsimile et transcription: Joseph Kerman, *Autograph miscellany from circa 1786 to 1799: British Museum Additional Manuscript 29801, ff. 39–162 (The „Kafka sketchbook")*, Londres 1970.
2 Cf. *Ludwig van Beethoven – Thematisch-bibliographisches Werkverzeichnis. Revidierte und wesentlich erweiterte Neuausgabe des Verzeichnisses von Georg Kinsky und Hans Halm*, éd. par Kurt Dorfmüller, Norbert Gertsch et Julia Ronge, Munich 2014, vol. 2, pp. 131 et 133.

NOTES SUR L'INTERPRÉTATION

Un coup d'œil sur la partition de la Sonate op. 10/1 permet de constater qu'il s'agit d'une œuvre pleine de contrastes tranchés et souvent abrupts. Elle dévoile immédiatement l'intense complexité de la composition et sans doute aussi l'effet qu'elle devait à coup sûr produire sur l'auditeur. Ceci concerne la forme et le contenu de la pièce, mais aussi les détails musicaux, l'articulation et la dynamique.

Le 1er mouvement, *Allegro molto e con brio*, possède une structure concise, strictement ordonnée, dans laquelle les éléments de la forme d'un mouvement principal de sonate ne sont que trop évidents. Carl Czerny, élève de Beethoven, propose comme tempo une ♩. = 72, que l'interprète d'aujourd'hui adaptera aux possibilités d'un instrument moderne. Czerny tient en tout cas à souligner que ce qui caractérise l'émotion « vif et enflammé »[1], c'est la pensée en mesures complètes. Par opposition à la structure anguleuse du thème initial, le second thème est plutôt régulier sur le plan rythmique et dynamique, comme s'il était écrit pour un quatuor à cordes. Czerny conseille de « jouer très legato le passage calme [mes. 32 et suiv.], chantant et à quatre voix », et de jouer « ensuite le contre-thème de la basse avec grande expression, le caractère général étant décidé et viril. »[2]

Ceci semble corroboré par le fait que Czerny insiste sur le jeu legato indiqué par des signes d'interprétation directement au-dessus des notes. Car lorsque Czerny entendit Beethoven pour la première fois en 1801 (quelques années seulement après la composition de cette sonate), le toucher « normal » était encore le non-legato. Par la suite, Czerny se rappelle régulièrement le jeu legato de Beethoven, que « tous les autres pianistes tenaient à cette époque pour irréalisable sur le fortepiano ».[3] Le grand nombre de signes de liaison que l'on trouve dans la partition de Beethoven impose de toute évidence à l'interprète cette nouvelle manière de jouer.

Contrairement aux sentiments exprimés dans le 1er mouvement, le deuxième, *Adagio molto*, est très étendu et réunit des passages déclamatoires (p. ex. mes. 17–23) avec des insertions ornementales (p. ex. mes. 28–30). Czerny demande aux pianistes d'interpréter le mouvement avec une grande tendresse, « qui peut être tirée de l'instrument par un joli toucher et un legato strict ».[4] Il conseille un tempo d'une ♪ = 69, établissant de ce fait un rapport intéressant avec le 1er mouvement. La durée d'une mesure entière dans le premier mouvement a donc ici celle d'une croche. Pour souligner l'impression de contrastes expressifs dans ce mouvement, Czerny propose de : « jouer très vite et vigoureusement les petites notes (aux mesures 17 et suivantes), tandis que les ornementations de la 18e mesure seront très légères et délicates, sans aucune interruption. »[5] Comme il n'y a pas d'indications de pédale dans la partition, les conseils de Czerny concernant les mes. 91seq. sont dignes d'attention : « Les 22 dernières mesures avec pédale gauche, les notes syncopées légèrement marquées. Laisser résonner doucement à la fin, avec les deux pédales. Personne ne peut ignorer que le tout exprime un sentiment d'intime passion et de tendresse. »[6] Sur l'emploi de la pédale chez Beethoven, Czerny rapporte en règle générale : « Il utilisait très fréquemment la pédale, beaucoup plus qu'il ne l'indique dans ses œuvres. »[7]

Dans le Finale, *Prestissimo*, le compositeur semble réunir la rigueur du premier mouvement et les éléments « déclamatoires » du second. Il est clairement structuré, avec des motifs rythmiques prononcés, interrompus par une cadence d'apparence improvisée (mes. 104–113), avant qu'une fanfare finale ne vienne soudain clôturer l'œuvre de manière étonnamment douce. Czerny conseille un tempo de 96 pour une blanche, qu'il convient d'adapter proportionnellement aux tempi des deux mouvements précédents. Une fois de plus, l'idée des contrastes acérés et des moments de surprise vient souligner le caractère de ce mouvement. Les mesures 23–26 ont une basse marquée qui rappelle la voix supérieure que l'on a pu entendre quelques mesures plus tôt. Le motif de basse semble surgir du néant et fournit un bon exemple de la complexité de l'écriture pianistique de Beethoven. Son élève Ferdinand Ries remarque à ce sujet : « Lorsqu'il jouait, il conférait à certains passages, tantôt à la main droite, tantôt à la main gauche, un belle expression absolument inimitable ; il n'ajoutait que très rarement des notes ou une ornementation. »[8]

Czerny a décrit le mouvement initial comme étant « décidé et viril », le second comme l'expression d'une intime tendresse, et le Finale, par contre, comme étant écrit « avec l'humour rocambolesque propre à Beethoven. Cet humour peut s'exprimer en particulier dans le mouvement médian (à partir de la 17e mesure) par un ralentissement spirituel de certaines notes, tout en respectant le tempo très rapide du tout. »[9] On trouve divers exemples qui corroborent ce point de vue de Czerny : Les mesures 37–45 constituent une séquence continue de contrastes dynamiques saillants, de différentes idées de motifs et d'un accord fortissimo à la mes. 41, qui a de toute évidence pour but de surprendre l'auditeur. Mais pour mettre en même temps l'interprète en garde contre un humour par trop débordant, Czerny prévient : « Le caractère de la pièce n'est toutefois en aucun cas empreint de gaîté, et la pétulance du pianiste ne doit donc nullement être mesquine ni dénaturante. L'expression humoristique ne peut être at-

teinte qu'après avoir dominé magistralement toutes les difficultés techniques. Dans le cas contraire, on n'obtient qu'une caricature ridicule et incompréhensible. »[10]

Le grand nombre de signes d'expression que l'on trouve dans cette sonate montre clairement que le compositeur se faisait une idée bien précise de sa musique. Les Lettres sur l'enseignement du pianoforte (Briefe über den Unterricht auf dem Pianoforte) de Czerny comportent une courte notice explicative sur la musique de Beethoven, qui aborde en bien des points l'essence de cette sonate. Dans ce sens, les œuvres de Beethoven exigent « une grande force de caractère, des sentiments profonds, souvent une humeur fantastique et un jeu en partie très lié, en partie très marqué ».[11]

Nils Franke
(Traduction : Geneviève Geffray)

1 Carl Czerny, *Über den richtigen Vortrag der sämtlichen Beethoven'schen Klavierwerke*, éd. et commenté par Paul Badura-Skoda, Vienne 1963, p. 42.

2 Ibid.

3 Carl Czerny, *Erinnerungen aus meinem Leben*, éd. par Walter Kolneder, Baden-Baden 1968, p. 14.

4 Czerny, *Über den richtigen Vortrag*, p. 42.

5 Ibid.

6 Ibid.

7 Carl Czerny, *Anekdoten und Notizen über Beethoven*, dans : Czerny, *Über den richtigen Vortrag der sämtlichen Beethoven'schen Klavierwerke*, éd. par Paul Badura-Skoda, Vienne 1963, p. 22.

8 Franz Gerhard Wegeler / Ferdinand Ries, *Biographische Notizen über Ludwig van Beethoven*, Coblence 1838, p. 107.

9 Czerny, *Über den richtigen Vortrag*, p. 42.

10 Ibid.

11 Carl Czerny, *Briefe über den Unterricht auf dem Pianoforte*, Vienne s.a., p. 47.

Der Gräfin Anna Margarete von Browne gewidmet

Sonate
op. 10/1

Fingersatz: Gerhard Oppitz

Ludwig van Beethoven
(1770–1827)

Allegro molto e con brio

*) Siehe Einzelanmerkungen / See Detailed Notes / Voir Notes Détaillées

*) Siehe Einzelanmerkungen / See Detailed Notes / Voir Notes Détaillées

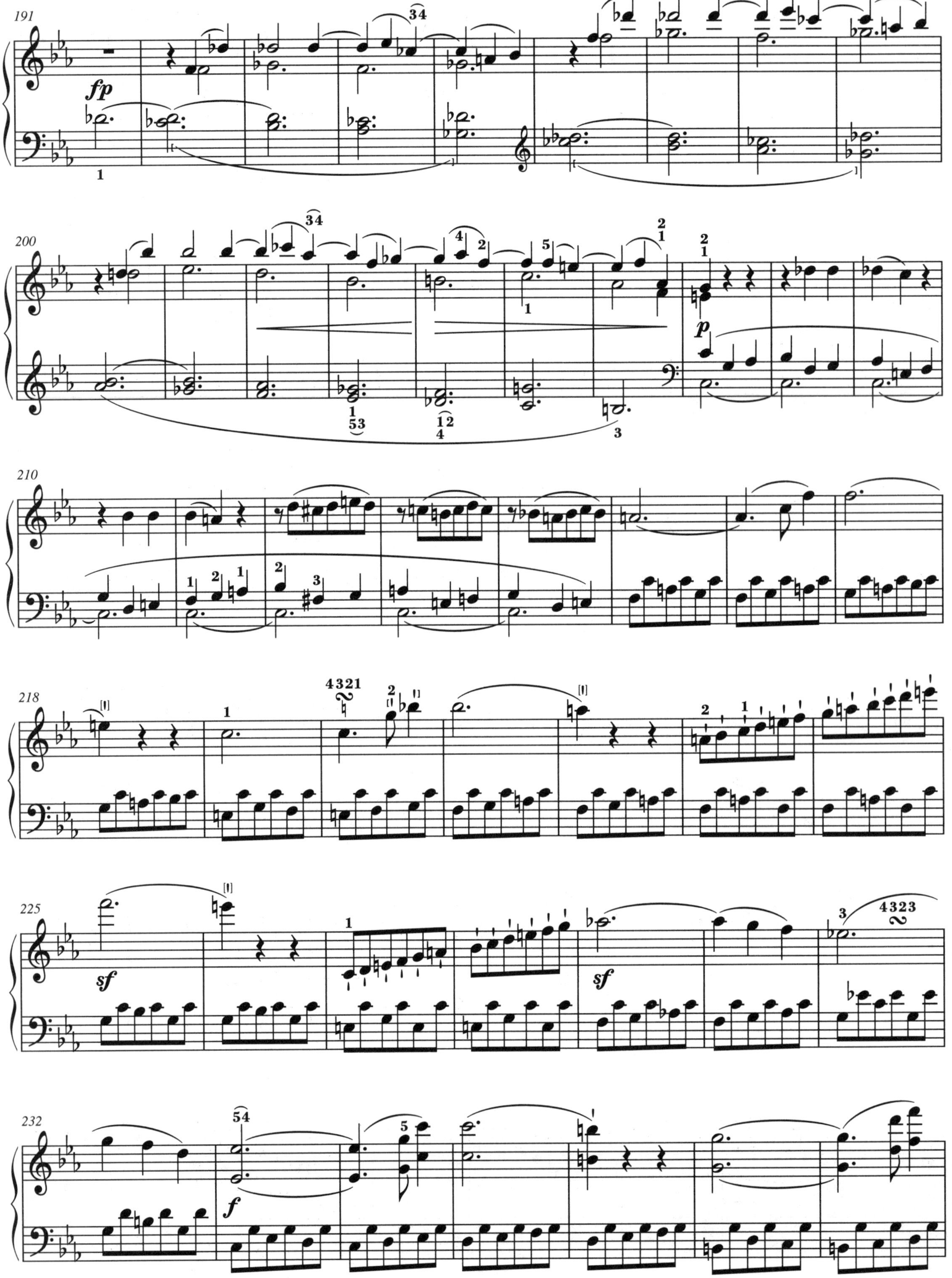
191
fp
200
p
210
218
225
sf
sf
232
f

*) Siehe Einzelanmerkungen / See Detailed Notes / Voir Notes Détaillées

Finale
Prestissimo

*) Siehe Einzelanmerkungen / See Detailed Notes / Voir Notes Détaillées

Presto

WoO 52

Fingersatz: Nils Franke

Ludwig van Beethoven

*) T./b./mes. 4: **A p.c.:** , T./b./mes. 8: **A p.c.:** , Siehe Einzelanmerkungen / See Detailed Notes / Voir Notes Détaillées

[Fine]

*) T./b./mes. 69: A p.c.: , T./b./mes. 73: A p.c.: , siehe Einzelanmerkungen / see Detailed Notes / voir Notes Détaillées

18 Trio

(Da Capo al Fine)

*) A p.c.:   l.H.   (T. 125, Zz. 1–2, oberes System dann ohne *c"*)
        l.h.   (b. 125, bt. 1–2, upper stave without *c"*)
        m.g.   (mes. 125, temps 1–2, portée supérieure sans *ut*[4])

Ludwig van Beethoven

Allegretto c-Moll (WoO 53)
Autograph, 1. Notenseite

Allegretto C minor (WoO 53)
Autograph, 1st page of music

Allegretto en ut mineur (WoO 53)
Autographe, 1ère page de la partition

Staatsbibliothek zu Berlin – Preußischer Kulturbesitz, Musikabteilung mit Mendelssohn-Archiv,
Mus. ms. autogr. Beethoven, L. v., Grasnick 25

Allegretto
WoO 53

Fingersatz: Nils Franke

Ludwig van Beethoven

Maggiore

sempre ligato

Segue

KRITISCHE ANMERKUNGEN

Abkürzungen

a.c.	ante correcturam (vor Korrektur)
Bg(n).	Bogen (Bögen)
erg.	ergänzt
gem.	gemäß
Hbg(n).	Haltebogen (-bögen)
hs.	handschriftlich
korr.	korrigiert
l.N.	letzte Note
NA	vorliegende Neuausgabe
OS	Oberstimme
o.S.	oberes System
p.c.	post correcturam (nach Korrektur)
PN	Plattennummer
Pst(n).	Parallelstelle(n)
r.H.	rechte Hand
S.	Seite
Stacc.	Staccato-Zeichen
T.	Takt
US	Unterstimme
u.S.	unteres System
vgl.	vergleiche
vl.N.	vorletzte Note
vs.	versehentlich
Zz.	Zählzeit
→	angeglichen an

Sonate c-Moll op. 10/1
Quellen

A   Autograph: verschollen.

EA   Erstausgabe: Joseph Eder, Wien, September 1798.
Titel: *TROIS SONATES / pour le / Clavecin ou Piano Forte / Composées et Dediées / A Madame la Comtesse de Browne / née de Vietinghoff / par / LOUIS VAN BEETHOVEN. / Oeuvre 10. / a Vienne chez Joseph Eder sur le Graben. / Renard sc.: / [links:] No. 23 [rechts:] 3 f. 30.x. //.*
Wien, Österreichische Nationalbibliothek, Musiksammlung, S.H. Beethoven 46.

TA   Titelauflage: nach der 1816 erfolgten Übernahme des Verlages durch Joseph Eders Schwiegersohn J. Bermann.
Titel: *TROIS SONATES / pour le Piano-Forte / PAR / LOUIS VAN BEETHOVEN. / Op. 10. / [links:] N⁰. 23 [rechts:] Pr. 3 f. CM. / Vienne, chez J. Bermann, / au Graben, à la Couronne d'or //.*
Wien, Österreichische Nationalbibliothek, Musiksammlung, S.H. Beethoven 47.

NDS   Nachdruck: Simrock, Bonn 1801, PN: *150.*
Wien, Österreichische Nationalbibliothek, Musiksammlung, S.H. Beethoven 48.

NDA   Nachdruck: André, Offenbach 1811, PN: *3058.*
Zürich, Zentralbibliothek, Musikabteilung, Mus WJ 227: ,8.

NDH   Nachdruck: Haslinger (Gesamtausgabe). Frühere Auflage, Wien 1828/29 mit französischem Titel: *N⁰. [hs.] 8 / SONATE / pour le Piano-Forte / par / L. van Beethoven. / Section I. / Nouvelle Édition exacte. / Vienne chez Tobie Haslinger / Editeur de Musique. //.* Mit Echtheitsbeglaubigung und faksimilierter Unterschrift Beethovens auf S. 3. PN: *BEETHOVEN, I No 8.*
Wien, Österreichische Nationalbibliothek, Musiksammlung, S.H. Beethoven 717.
Spätere Auflage, Wien nach 1832, mit deutschem Titel und orangebraunem Rahmenschmuck: *Sonate / (in C-moll.) / für das / PIANO-FORTE / von / L. VAN BEETHOVEN. 10-TES WERK. N⁰ 1. //.* PN: *BEETHOVEN, I No 4.* Mit einigen Zusätzen und Änderungen im Notentext.
Wien, Österreichische Nationalbibliothek, Musiksammlung, S.H. Beethoven 723.

Quellenbewertung und Edition

Da Beethovens Autograph verschollen ist, dient **EA** der Edition als Hauptquelle. **TA** übernimmt den Notentext von **EA** unverändert und ist als Quelle damit verzichtbar. **NDS** geht auf **EA** zurück, zeichnet sich aber durch eine sorgfältige Redaktion, besonders im Bereich der Artikulationszeichen, aus und ist daher eine wichtige Referenzquelle für die Edition des Notentextes im Sinne der Beethoven-Zeit. **NDA** hat als Nachdruck nach **EA** im Allgemeinen zwar keine gesteigerte Bedeutung, wurde aber insofern als Referenzquelle herangezogen, als in diesem Nachdruck schon zu einem relativ frühen Zeitpunkt (1811) das fragliche *c′* in T. 161 des 1. Satzes zu dem wohl korrekten *as′* mittels Plattenkorrektur geändert wurde (vgl. hierzu auch die Einzelanmerkungen). **NDH**, ebenfalls auf **EA** basierend, ist bereits in der früheren Auflage sehr aufmerksam redigiert, besonders im Bereich der Akzidentiensetzung, und schon insofern hilfreich. Zudem ist bereits hier das aus Gründen des Klaviaturumfangs fehlende *ges‴* in T. 128 des 1. Satzes ergänzt. Inwieweit dieser Zusatz auf Beethoven selbst zurückgehen könnte, lässt sich freilich nicht mehr nachweisen. Immerhin gab es in Wien bereits vor 1800 vereinzelt Klaviere, deren Umfang in der Höhe bis *g‴* reichte (vgl. auch Mozart, Sonate für 2 Klaviere KV 448, in der *fis‴* verlangt wird), so dass diese schon aus stimmführungstechnischen Gründen erforderliche Ergänzung gegenüber **EA** auch aufgrund des zeitgenössischen Instrumentenbaus gerechtfertigt werden kann.

    Ergänzungen des Herausgebers stehen im Notentext in eckigen Klammern. Die nachfolgenden Einzelanmerkungen folgen jeweils dem Schema: Takt – System / Stimme – Zeichen im Takt (Note / Akkord / Pause) oder Zählzeit – Bemerkung.

Einzelanmerkungen

Sonate c-Moll op. 10/1

1. Satz: *Allegro molto e con brio*

1f., 5f.,106f., 110f., 114f., 168f., 172f.	o.S.		**NDS**: Ende des Bg. außer T. 114f. konsequent vor der Viertelnote
11, 13, 178, 180	o.S.	1	**EA**: in T. 13 und 178 Vorschlag in Zweiunddreißigsteln statt Sechzehnteln; **NDS**: Zweiunddreißigstel an allen Stellen; NA folgt dem Modell in **EA**, T. 11 und 180.
36	o.S.	1	alle Quellen: ohne US ♩· *as'*; in manchen modernen Ausgaben gem. Pst. T. 195 mit *as'* zur Vierstimmigkeit komplettiert
44–47			alle Quellen: ◁ ▷ hier abweichend von der Pst. T. 202–206
46–47	o.S. OS		**EA**: Hbg. *d"-d"* fehlt; erg. gem. **NDS**, **NDH** und Pst. T. 205
93–94			**NDS**, **NDH**: hier mit Hbg. *b-b*, nicht aber an Pst. T. 270f.
104–105	u.S. US		**EA**, **NDH**: Bg. nur bis T. 104, 3. Note; NA verlängert den Bg. bis T. 105, 1. Note gem. **NDS** und o.S.
120	o.S.		**EA**, **NDS**: Bg. ab T. 119, l.N. trotz Tonrepetition; in **NDH** hier Zeilenwechsel, Beginn des Bg. am Zeilenende getilgt; NA folgt der Korrektur in **NDH**
122, 123	u.S.		**EA**, **NDS**: ♮ vor *es* fehlt; erg. gem. **NDH**
127	u.S.	5	**EA**, **NDS**: ♭ vor *d* fehlt; erg. gem. **NDH**
128	o.S.	3	**EA**, **NDS**, **NDA**: ohne Oberoktave *ges'''* wegen der Beschränkung des Tonumfangs der meisten älteren Klaviere bis *f'''*; *ges'''* in **NDH** bereits in der früheren Auflage erg.; da der Umfang einzelner Wiener Klaviere vor 1800 bereits bis *g'''* reichte, übernimmt NA die Ergänzung gem. **NDH**.
161	o.S.	3	**EA**, **NDS**, **NDH**: oberer Akkordton *c"*, in **EA** *c"* – wohl nachträglich – mit separatem, nicht mit *c'/es'* verbundenem Notenhals hinzugesetzt, vermutlich wegen ursprünglich gar nicht oder falsch als *g'* gestochenen oberen Akkordtons (in einigen Exemplaren von **EA**, z.B. Wien, Österreichische Nationalbibliothek, M.S. 40188-qu. 4° / L18 Kaldeck Mus und **TA** deutlich verdünnte *g'*-Linie, aber keine Verdünnung der *h'*-Linie erkennbar, eventuell als Spur einer Plattenkorrektur, die darauf hindeutet, dass ursprünglich eher *g'* als *as'* gestochen war), *c"* daher möglicherweise falsch ausgeführte Plattenkorrektur (*c"* statt *as'*) in **EA**; in **NDA** ursprüngliches *c"* per Plattenkorrektur zu *as'* korrigiert; ebenso in späterer Auflage von **NDS** (ca. 1824, Bonn, Beethoven-Archiv, C 10/14) *c"* zu *as'* korrigiert. Musikalisch ist der Akkord *c'/es'/c"* nicht sonderlich überzeugend. Hätte Beethoven tatsächlich *c"* als oberen Akkordton beabsichtigt, wäre *es'/g'/c"* im Kontext der ganzen Passage logischer erschienen. NA korrigiert daher analog T. 165 zu *as'*.
170	o.S.	1	**EA**: Stacc. fehlt; erg. gem. **NDS**, **NDH** und Pst. T. 3
189	o.S.	1	**EA**: Stacc. fehlt; erg. gem. **NDS**, **NDH**
216, 218	u.S.		**EA**, **NDS**: ♮ vor *as* fehlt; erg. gem. **NDH**
220	u.S.	1	**EA**, **NDS**: ♮ vor *es* fehlt; erg. gem. **NDH**
271–274	u.S. US		**NDS**: ein durchgehender Bg. T. 271, 1. Note – T. 274, l.N. statt Bogenteilung zwischen T. 273 und 274

2. Satz: *Adagio molto*

2	o.S. US	2	**EA**: ⁊ fehlt; erg. gem. **NDS**
26	u.S.	1	**EA**, **NDS**: ♮ vor *des* fehlt; erg. gem. **NDH**
28, 30	o.S.	1	**EA**: vs. ⁊ statt ⁊; korr. gem. **NDS**, **NDH**
33, 35	u.S.	4	**EA**, **NDS**: ♮ vor *des'* fehlt; erg. gem. **NDH**
39	u.S.	Zz. 1+	**EA**: nur ein Verlängerungspunkt hinter *as'* auf *g'*-Linie, wohl für *as'* und *ges'* zusammen gemeint
40		Zz. 1	**NDH** (nur spätere Aufl.): mit *f* ▷ (wohl kaum authentisch); alle übrigen Quellen hier unbezeichnet;

an der Pst. T. 87 alle Quellen *p* zu Taktbeginn, von der Neuen Beethoven-Gesamtausgabe (Beethoven, *Werke*, Abt. VII, Bd. 2, *Klaviersonaten* I, hg. von Hans Schmidt, München 1971, S. 99) auch zu T. 40 als Ergänzung vorgeschlagen, allerdings ist T. 87 aufgrund des fehlenden übergebundenen Melodietons zu Zz. 2 nicht völlig mit T. 40 kongruent.

47	o.S. OS		**EA:** Beginn des Bg. unklar, eher ab 2. Note; **NDS:** ab 3. Note; **NDA, NDH:** ab 2. Note; NA folgt der klaren Notierung in **NDA** und **NDH.**
55	u.S.	1–3	**EA:** im Vergleich zu den übrigen Noten des Taktes hier nur ein Bogen ohne Punkte, Punkte möglicherweise infolge einer Korrektur nicht ergänzt. Die nachfolgenden Noten haben kleine Keile statt Punkte unter dem Bogen (in T. 57f. dagegen Punkte), möglicherweise hatte Beethoven hier partiell die Keile zu Punkten korrigiert, die dann im Stich zwar entfernt, aber nicht durch Punkte ersetzt wurden. NA ergänzt daher Punkte zum Bogen.
56	u.S.	1, 5	alle Quellen: ohne Viertelhälse zu *ges* und *as*; erst in späteren Ausgaben analog T. 54 erg.
59	o.S.	1	**EA, NDS:** ohne Bg. vom Vorschlag zu *f'* der Oktave; erg. gem. **NDH**
60	o.S. US Zz. 2		**EA, NDH:** *g'* als ♪, zusammengehalst mit OS; zu separat gehalster ♩ korr. gem. **NDS** und Pst. T. 15
61	o.S. OS 1–2		**EA:** Bg. tief gesetzt; daher **NDA, NDH:** Bg. zu US 2.–8. Note zugeordnet; **NDS:** Bg. zu OS 1.–2. Note und zu US 2.–8. Note; NA folgt **EA**, setzt aber Bg. zu OS wie in T. 16.
66	u.S.	Zz. 2	**EA, NDS:** Stacc. fehlt; erg. gem. **NDH** und Pst. T. 21
71–72	o.S.		**EA:** ein Bg.: T. 71, 2. Note – T. 72, l.N.; Bg. zur Tonrepetition *b''-b''* geteilt gem. **NDS**
72		1	alle Quellen: mit redundantem *pp*

87	u.S.	vl.N.	**EA, NDS:** ♭ fehlt; erg. gem. **NDH**
109, 110	u.S. US		**EA:** Bg. ab 1. Note trotz Unterbrechung des Balkens im Unterschied zum Vortakt; balkungskonform zu 2.–4. Note korr. gem. **NDS, NDH**

3. Satz: *Finale. Prestissimo*

3	o.S.		**EA:** Bg. bis T. 4, 1. Note; korr. gem. **NDS, NDH** und Pst. T. 60
31	u.S.	1	**NDH** (nur spätere Aufl.): Bassnote *d* mittels Plattenkorrektur zu *es* geändert (sicher nicht authentisch); alle übrigen Quellen: *d*; Bassnote *es* fand jedoch Eingang in spätere Ausgaben.
38, 41	o.S.	1	**EA, NDS:** ohne Stacc.; erg. gem. **NDH** und Pst. T. 95
42	u.S.	2–4	**EA, NDS:** ohne Stacc.; erg. gem. **NDH**
52	u.S.	1, 3	**EA:** Stacc. fehlt; erg. gem. **NDS**
55	u.S.	1	**EA:** ♩ ohne ; **NDS, NDA:** ♩ ; korr. zu ♩ gem. **NDH** und o.S., Zz. 2
64	u.S.	1–8	**EA:** Stacc. fehlt; erg. gem. **NDS** und o.S.
67–68	o.S.		**EA:** 2. Bg. in T. 67 bis Taktstrich am Zeilenende, in T. 68 nach Zeilenwechsel aber Beginn des 2. Bg. auf 1. Note: unklar, ob ein zusammenhängender Bg. gemeint (so in **NDA**); NA folgt der klaren Notierung mit 2 Bgn. in **NDS, NDH**
72	u.S.	1	**EA, NDS:** Stacc. fehlt; erg. gem. **NDH** und Pst. T. 15
74, 76	o.S. OS 1–2		**EA:** Stacc. fehlt; erg. gem. **NDS** und Pstn. T. 17, 19
94	o.S.	4	**NDH:** analog Pst. T. 37 ohne Stacc.
99	u.S. OS	4	**EA, NDS:** ♮ vor *f* fehlt; erg. gem. **NDH** (spätere Aufl.)
109	u.S.	Zz. 2	**EA, NDS, NDA:** Akkord der r.H. mit zusätzlichem *g* (*ges* gemeint?); in **NDH** (frühere Aufl.) *g* per Plattenkorrektur getilgt (vgl. Pst. T. 19, auch hier bereits in **EA** ohne Terzverdopplung); NA folgt **NDH**
119	o.S.	1	**EA:** Stacc. fehlt wohl aus Platzmangel; erg. gem. **NDH** und Pst. T. 117

Presto c-Moll WoO 52

Quellen

A Autograph. Einbandtitel: *LUDWIG VON BEETHOVEN / ORIGINAL AUTOGRAPH MANUSCRIPT MUSIC / 1797. / [rechts unten:] GEORGE R. DYER JR. / CHRISTMAS 1925. //.* Kopftitel am Beginn des Stückes: *N№. 10.*
Bonn, Beethoven-Archiv, Sammlung H. C. Bodmer, HCB BMh 11/51.

EA Erstausgabe in: *Ludwig van Beethoven's Werke. Vollständige kritisch durchgesehene überall berechtigte Ausgabe*, Serie 25, Supplement No. 297, Breitkopf & Härtel, Leipzig 1888, S. 350–353.

Quellenbewertung und Edition

Beethovens Autograph (**A**) liegt der Edition als Hauptquelle zugrunde. Ergänzungen nach **EA** stehen im Notentext in runden Klammern.

Einzelanmerkungen

1–10	u.S.		**A**: sämtliche Schlüsselwechsel fehlen
4, 8, 69, 73	u.S.	1–2	**A** p.c.: abweichende Lesarten, wodurch sich zwischen OS und US Oktavparallelen ergeben; NA folgt **A** a.c.
17	u.S.	1	**A**: unklar, ob *c′* oder *d′*
19	u.S.	2	**A**: unklar, ob *c′* oder *d′*
22	u.S.	1	**A**: ♮ vor *As* fehlt
33	u.S.		**A**: Violinschlüssel fehlt
39	u.S.	2	**A**: ♮ vor *as′* fehlt
39	u.S.	3	**A**: ♩ *d′* fehlt; erg. gem. **EA**
40	u.S.		**A**: Bassschlüssel fehlt
40	o.S.	2	**A**: ♮ vor *as′* fehlt
42	o.S.	Zz. 3	**A**: Tonhöhe unklar, eher *b′*
47, 48, 49, 51, 53	o.S.	Zz. 2	**A** a.c.: nur Duolen, durch Zusatz der 1. Note jeweils zur Triole erweitert
48	u.S.	1, 2	**A**: ♮ vor *as* und *es* fehlen
51	u.S.		**A**: mit redundantem Bassschlüssel vor Zz. 1
59, 63	o.S.	1	**A** a.c.: mit ♩ *g′*; in **A** p.c. wieder getilgt; NA folgt **A** p.c.
59, 63	o.S. US		**A**: ♮ vor *g′* erst vor l.N.
80–87	o.S.		**A**: sämtliche ♮ vor *b* und *b′* fehlen; erg. gem. **EA**
88	u.S.		**A**: mit überzähliger ♩ *C*
96	u.S.	1	**A**: vs. mit zusätzlichem Notenkopf (*f*) unter *c′*
96	u.S.	Zz. 3	**A**: vs. mit Bass- statt Violinschlüssel
101	u.S.		**A**: Bassschlüssel bereits ab T. 99
116–122	o.S.		**A**: Bogensetzung widersprüchlich, Bg. T. 117, 1.– 3. Note, T. 119, 1. Note – T. 120, 1. Note und T. 120, l.N. – T. 121, 3. Note; NA folgt **EA**
126	o.S.		**A**: Bg. erst ab T. 127, 1. Note
132	o.S.		**A**: im 2. Notat (*vide*) vs. eine Terz zu tief; im 1. (getilgten) Notat Tonhöhen korrekt

Allegretto c-Moll WoO 53

Quellen

A Autograph. Kopftitel am Beginn des Stückes: *Allegretto. //.*
Berlin, Staatsbibliothek zu Berlin, Musikabteilung mit Mendelssohn-Archiv, Mus. ms. autograph Beethoven, L.v., Grasnick 25.

EA Erstausgabe in: *Ludwig van Beethoven's Werke. Vollständige kritisch durchgesehene überall berechtigte Ausgabe*, Serie 25, Supplement No. 299, Breitkopf & Härtel, Leipzig 1888, S. 357–359.

Quellenbewertung und Edition

Beethovens Autograph (**A**) liegt der Edition als Hauptquelle zugrunde. Ergänzungen nach **EA** stehen im Notentext in runden Klammern.

Einzelanmerkungen

4	o./u.S.		**EA**: mit Stacc., vgl. aber Auftakt zu Beginn
26	u.S.	1	**A**: Verlängerungspunkt zu *G* fehlt, vgl. aber T. 28
37	o.S.	1	**A**: ♮ vor *b′* fehlt; erg. gem. **EA**
49–56	u.S.		**A**: Bg. nur bis Ende T. 53 vor Zeilenwechsel; NA folgt **EA**
50–56	OS		**EA**: ein durchgehender Bg.
67f.	o.S.		**A**: Bg. hier ausnahmsweise auf der übergebundenen Oktave beginnend
68, 72	o.S.		**A**: unklar, ob Bgn. bis zur folgenden Takteins gehen
89–95, 104–143			**A**: notengetreu wiederholte Passagen des Hauptteils nur skizzenhaft notiert, über große Strecken nur die OS, ab T. 104, Zz. 3 Vermerk im u.S.: *Nb. der Baß / zu diesem 2ten Theil wird von dem ersten / zweiten Theil abgeschrieben / der vor dem Maggiore ist*; NA → T. 1–46
147			**A**: *p*-Position unklar, wohl erst Zz. 3; NA folgt **EA** und dem musikalischen Kontext
148	u.S.	Zz. 1	**A**: Bassschlüssel fehlt

153, 154, 158, 159	o.S.	1	A: ♮ vor *b′* fehlt; erg. gem. **EA**
154	u.S.	Zz. 3	A: Bassschlüssel fehlt; erg. gem. **EA**

166–168	o.S.		A: ♮ vor *b′* und *b″* fehlen; erg. gem. **EA**
168	u.S.	1	A a.c.: Akkord wie T. 167
168	u.S.	1	A p.c.: ♮ vor *B* fehlt; erg. gem. **EA**

CRITICAL NOTES

Abbreviations

acc.	according to
a.c.	ante correcturam (before correction)
b.	bar(s)
bt.	beat(s)
corr.	corrected
err.	erroneously
l.n.	last note
l.s.	lower stave
lv	lower voice
ms.	(in) manuscript
NA	the present edition
p.	page
p.c.	post correcturam (after correction)
p.i.	parallel instance(s)
PN	plate number
pu.n.	penultimate note
r.h.	right hand
stacc.	staccato mark
u.s.	upper stave
uv	upper voice
→	adapted to

Sonata in C minor Op. 10 No. 1
Sources

A Autograph: lost

EA First edition: Joseph Eder, Vienna, September 1798.
TROIS SONATES / pour le / Clavecin ou Piano Forte / Composées et Dediées / A Madame la Comtesse de Browne / née de Vietinghoff / par / LOUIS VAN BEETHOVEN. / Oeuvre 10. / a Vienne chez Joseph Eder sur le Graben. / Renard sc.: / [left:] No. 23, [right:] 3 f. 30.x. //.
Vienna, Österreichische Nationalbibliothek, Musiksammlung, S.H. Beethoven 46.

TA Title edition: J. Bermann, Vienna, 1816.
TROIS SONATES / pour le Piano-Forte / PAR / LOUIS VAN BEETHOVEN. / Op. 10. / [left:] No. 23, [right:] Pr. 3 f. CM. / Vienne, chez J. Bermann, / au Graben, à la Couronne d'or //.

Vienna, Österreichische Nationalbibliothek, Musiksammlung, S.H. Beethoven 47.

NDS Reprint: Simrock, Bonn, 1801, PN: *150*
Vienna, Österreichische Nationalbibliothek, Musiksammlung, S.H. Beethoven 48.

NDA Reprint: André, Offenbach, 1811, PN: *3058*
Zurich, Zentralbibliothek, Musikabteilung, Mus WJ 227: ,8.

NDH Reprint: Haslinger (Complete Edition).
Earlier edition, Vienna, 1828–9 with French title: *No. [ms.] 8 / SONATE / pour le Piano-Forte / par / L. van Beethoven. / Section I. / Nouvelle Édition exacte. / Vienne chez Tobie Haslinger / Editeur de Musique. //.* With authentication of Beethoven's authorship and a facsimile of the composer's signature on p. 3.
PN: *BEETHOVEN, I No 8.*
Vienna, Österreichische Nationalbibliothek, Musiksammlung, S.H. Beethoven 717.
Later edition, Vienna, after 1832, with German title and an orange-brown decoration on the title page: *Sonate / (in C-moll.) / für das / PIANO-FORTE / von / L. VAN BEETHOVEN. 10-TES WERK. No 1. //.* PN: *BEETHOVEN, I No 4.* With some supplements and alterations in the score.
Vienna, Österreichische Nationalbibliothek, Musiksammlung, S.H. Beethoven 723.

Source evaluation and the edition

Since Beethoven's autograph has not survived, **EA** serves as the main source for this edition. **TA** adopts the musical text from **EA** unchanged and is therefore expendable as a source. **NDS** is based on **EA**, but is characterised by careful editing, especially in the area of articulation marks, and is therefore an important reference source for the editing of the musical text in the spirit of the Beethoven era. As a reprint of **EA**, **NDA** generally has no increased significance, but was nevertheless used as reference source insofar as in this reprint already at a relatively early time (1811) the questionable *c″* in b. 161 of the 1st movement was changed to the probably correct *a′ flat* by means of plate correction (see also the detailed notes). **NDH**, also based on **EA**, has already been very carefully edited in its earlier edition, especially regarding accidentals, and has proven helpful in this respect. In addition, the *g‴ flat* in bar 128 of the 1st movement, previously missing due to the limited keyboard range of the time, has already been added here. Whether this amendment was carried out at the instigation of Beethoven himself can, however, no longer be ascertained. Considering that there were already a few pianos in Vienna before 1800 whose treble range extended up to *g‴* (see also Mozart, Sonata for 2 pianos K. 448, which requires *f‴ sharp*), this adjustment with respect to **EA**, which is already necessary for reasons of voice leading, can also be justified on the grounds of contemporary instrument construction.

Additions of the editor have been indicated with square brackets in the score. For the following Detailed Notes the format: bar – stave/voice – symbol in the bar (note, chord or rest) or beat – remark is used.

Detailed Notes

1st movement: *Allegro molto e con brio*

1f, 5f, 106f, 110f, 168f, 172f	u.s.		**NDS**: end of slur always before crotchet except b. 114f
11, 13, 178, 180	u.s.	1	**EA**: in b. 13 and 178 grace notes as demisemiquavers instead of semiquavers; **NDS**: semiquavers in all instances; NA follows the pattern in b. 11 and 180 of **EA**.
36	u.s.	1	several modern editions complete the chord by an additional *a′♭* acc. p.i. b. 195; *a′♭*, however, does not exist in any sources.
44–47			all sources: ⟨⟨ ⟩⟩ (diverging from p.i. b. 202–206)
46–47	u.s. uv		**EA**: tie *d″-d″* missing; added acc. **NDS, NDH** and p.i. b. 205
93–94			**NDS, NDH**: here with tie *b♭-b♭*, but not at p.i. b. 270f
104–105	l.s. lv		**EA, NDH**: slur to b. 104, 3rd note only; NA extends the slur to b. 105, 1st note acc. **NDS** and u.s.
120	u.s.		**EA, NDS**: slur from b. 119, l.n. despite note repetition; in **NDH** line break at this point, beginning of slur deleted at the end of line; NA follows the correction of **NDH**
122, 123	l.s.		**EA, NDS**: ♮ before *e♭* missing; added acc. **NDH**
127	l.s.	5	**EA, NDS**: ♭ before *d* missing; added acc. **NDH**
128	u.s.	3	**EA, NDS, NDA**: without upper octave *g‴♭* due to the range of contemporary fortepianos to *f‴*; **NDH**, already in the early edition, with *g‴♭*. Since the compass of some Viennese pianos produced before 1800 includes *g‴*, NA adopts the addition from **NDH**.
161	u.s.	3	**EA, NDS, NDH**: upper chord note *c″*, in **EA** *c″* added – probably subsequently – with separate stem not connected with *c′/e′ flat*, presumably because originally the upper chord note was erroneously engraved as *g′* or not at all (in some copies of **EA**, e.g. Vienna, Österreichische Nationalbibliothek, M.S. 40188-qu. 4° / L18 Kaldeck Mus and **TA** clearly attenuated *g′* line, but no attenuation recognisable at *b′*-line, as a possible trace of a plate correction indicating that originally *g′* was engraved rather than *a′ flat*), therefore *c′* is a possibly incorrectly executed plate correction (*c″* instead of *a′ flat*) in **EA**; in **NDA** original *c″* corrected to *a′ flat* by plate correction; also in a later edition of **NDS** (c. 1824, Bonn, Beethoven-Archiv, C 10 / 14) *c″* corrected to *a flat′*. Musically the chord *c′/e′flat/c″* is not very convincing. If Beethoven had really intended *c″* to be the upper chord note, it would, in the context of the whole passage, have seemed more logical to use *e′ flat/g′/c″*. NA therefore corrects by analogy with b. 165 to *a′ flat*.
170	u.s.	1	**EA**: stacc. missing; added acc. **NDS, NDH** and p.i. b. 3
189	u.s.	1	**EA**: stacc. missing; added acc. **NDS, NDH**
216, 218	l.s.		**EA, NDS**: ♮ before *a♭* missing; added acc. **NDH**
220	l.s.	1	**EA, NDS**: ♮ before *e♭* missing; added acc. **NDH**

271–274	l.s. lv		**NDS**: one slur throughout from b. 271, 1st note to b. 274, l.n. instead of splitting the slur between b. 273 and 274

2nd movement: *Adagio molto*

2	u.s. lv	2	**EA**: 𝄿 missing; added acc. **NDS**
26	l.s.	1	**EA, NDS**: ♮ before *d*♭ missing; added acc. **NDH**
28, 30	u.s.	1	**EA**: err. 𝄿 instead of ♯; corr. acc. **NDS, NDH**
33, 35	l.s.	4	**EA, NDS**: ♮ before *d*♭ missing; added acc. **NDH**
39	l.s.	bt. 1+	**EA**: only one augmentation dot after *a*♭ on the *g*′ line, probably intended for both: *a*♭ and *g*♭
40		bt. 1	**NDH** (later edition) only: with *f* ═ (probably not authentic); all the other sources here without any indication; at p.i. b. 87 all sources: *p* at the beginning of bar, also the New Beethoven Complete Edition (Beethoven, *Werke*, Abt. VII, vol. 2, *Klaviersonaten I*, ed. by Hans Schmidt, Munich, 1971, p. 99) suggests *p* as an amendment to b. 40, too. Because the tied melody note *b*♭ is however lacking, the instance is not exactly corresponding to b. 40.
47	u.s. uv		**EA**: beginning of slur unclear; **NDS**: beginning from 3rd note; **NDA, NDH**: from 2nd note; NA follows the clearer notation in **NDA** and **NDH**.
55	l.s.	1–3	**EA**: compared to the other notes of the bar, here only one slur without dots, dots possibly missing due to a correction. The subsequent notes have small wedges instead of dots below the slur (in b. 57f, however, dots), possibly Beethoven had here partially corrected the wedges to dots, which were then removed during engraving, but not replaced by dots. NA therefore adds dots below the slur.
56	l.s.	1, 5	all sources: without crotchet stems to *g*♭ and *a*♭; added in later editions only (analogous to b. 54)
60	u.s. lv	bt. 2	**EA, NDH**: *g*′ as ♪, stemmed together with uv; corr. to a separately stemmed ♩ acc. **NDS** and p.i. b. 15
61	u.s. uv	1–2	**EA**: slur positioned very low; therefore **NDA, NDH**: slur covering lv 2nd–8th notes; **NDS**: slur covering uv 1st–2nd notes and lv 2nd–8th notes; NA follows **EA**, but places the slur on uv as in b. 16.
66	l.s.	bt. 2	**EA, NDS**: stacc. missing; added acc. **NDH** and p.i. b. 21
71–72	u.s.		**EA**: one slur: b. 71, 2nd note – b. 72, l.n.; slur splitted at note repetition *b*″♭-*b*″♭ acc. **NDS**
72		1	all sources: with a redundant *pp*
87	l.s.	pu.n.	**EA, NDS**: ♭ missing; added acc. **NDH**
109, 110	l.s. lv		**EA**: slur from 1st note despite break of the beam in comparison to the previous bar; slur (2nd–4th note) adapted to the beaming acc. **NDS, NDH**

3rd movement: *Finale. Prestissimo*

3	u.s.		**EA**: slur to b. 4, 1st note; corr. acc. **NDS, NDH** and p.i. b. 60
31	l.s.	1	**NDH** (later edition): bass note *d* changed to *e*♭ by plate correction (probably not authentic); all the other sources: *d*; but bass note *e*♭ has been included in some later editions.
38, 41	u.s.	1	**EA, NDS**: without stacc.; added acc. **NDH** and p.i. b. 95
42	l.s.	2–4	**EA, NDS**: without stacc.; added acc. **NDH**
52	l.s.	1, 3	**EA**: stacc. missing; added acc. **NDS**
55	l.s	1	**EA**: ♩ without 𝄽; **NDS, NDA**: ♩ 𝄽; corr. to ♩ acc. **NDH** and u.s., bt. 2
64	l.s.	1–8	**EA, NDS**: stacc. missing; added acc. **NDS** and u.s.
72	l.s.	1	**EA, NDS**: stacc. missing; added acc. **NDH** and p.i. b. 15
74, 76	u.s. uv	1–2	**EA**: stacc. missing; added acc. **NDS** and p.i. b. 17, 19
94	u.s.	4	**NDH**: without stacc. analogous to p.i. b. 37
99	l.s. uv	4	**EA, NDS**: ♮ before *f* missing; added acc. **NDH** (later edition)

| 109 | l.s. | bt. 2 | **EA, ZA, NDS**: r.h. chord err. with an additional *g* (*g*♭ intended?); in **NDH** (earlier edition): *g* deleted by plate correction (cf. p.i. b. 19, also in **EA**, there is no duplication of the third); **NA** follows **NDH** |
| 119 | u.s. | 1 | **EA**: stacc. missing probably due to lack of space; added acc. **NDH** and p.i. b. 117 |

Presto C minor WoO 52

Sources

A Autograph. Cover title: *LUDWIG VON BEETHOVEN / ORIGINAL AUTOGRAPH MANUSCRIPT MUSIC / 1797. /* [bottom right corner:] *GEORGE R. DYER JR. / CHRISTMAS 1925. //.* Heading at the beginning of the piece: *N⁰. 10.*
Bonn, Beethoven-Archiv, collection H. C. Bodmer, HCB BMh 11/51.

EA First edition in: *Ludwig van Beethoven's Werke. Vollständige kritisch durchgesehene überall berechtigte Ausgabe*, series 25, supplement No. 297, Breitkopf & Härtel, Leipzig, 1888, pp. 350–353.

Principal source: **A**
Additions based on **EA** have been indicated with parentheses in the score.

Detailed Notes

1–10	l.s.		**A**: all changes of clefs missing
4, 8, 69, 73	l.s.	1–2	**A** p.c.: diverging readings resulting in parallel octaves between uv and lv; **NA** follows **A** a.c.
17	l.s.	1	**A**: unclear whether *c′* or *d′*
19	l.s.	2	**A**: unclear whether *c′* or *d′*
22	l.s.	1	**A**: ♮ before *A*♭ missing
33	l.s.		**A**: violin clef missing
39	l.s.	2	**A**: ♮ before *a′*♭ missing
39	l.s.	3	**A**: ♩ *d′* missing; added acc. **EA**
40	l.s.		**A**: bass clef missing
40	u.s.	2	**A**: ♮ before *a′*♭ missing
42	u.s.	bt. 3	**A**: pitch unclear, rather *b′*♭
47, 48, 49, 51, 53	u.s.	bt. 2	**A** a.c.: only duplets, altered to triplets by adding the 1st note
48	l.s.	1, 2	**A**: ♮ before *a*♭ and *e*♭ missing
51	l.s.		**A**: with redundant bass clef before bt. 1
59, 63	u.s.	1	**A** a.c.: with ♩ *g′*; deleted again in **A** p.c.; **NA** follows **A** p.c.

59, 63	u.s. lv		**A**: ♮ before *g′* only before l.n.
80–87	u.s.		**A**: all ♮ before *b*♭ and *b′*♭ missing; added acc. **EA**
88	l.s.		**A**: with redundant ♩ C
96	l.s.	1	**A**: err. with an additional notehead (*f*) below *c′*
96	l.s.	bt. 3	**A**: err. with bass instead of violin clef
101	l.s.		**A**: bass clef already from b. 99
116–122	u.s.		**A**: slurring contradictory, slurs b. 117, 1st–3rd note, b. 119, 1st note – b. 120, 1st note and b. 120, l.n. – b. 121, 3rd note; **NA** follows **EA**
126	u.s.		**A**: slur from b. 127, 1st note only
132	u.s.		**A**: in the 2nd version (*vide*) err. one third too low; in the 1st (deleted) version pitches correct

Allegretto C minor WoO 53

Sources

A Autograph. Heading at the beginning of the piece: *Allegretto. //.*
Berlin, Staatsbibliothek zu Berlin, Musikabteilung mit Mendelssohn-Archiv, Mus. ms. autograph Beethoven, L.v., Grasnick 25.

EA Frist edition in: *Ludwig van Beethoven's Werke. Vollständige kritisch durchgesehene überall berechtigte Ausgabe*, series 25, supplement No. 299, Breitkopf & Härtel, Leipzig, 1888, pp. 357–359.

Principal source: **A**
Additions based on **EA** have been indicated with parentheses in the score.

Detailed Notes

4	u./l.s.		**EA**: with stacc., but cf. anacrusis at the beginning
26	l.s.	1	**A**: augmentation dot to *G* missing, but cf. b. 28
37	u.s.	1	**A**: ♮ before *b′*♭ missing; added acc. **EA**
49–56	l.s.		**A**: slur to end of b. 53 only (before line break); **NA** follows **EA**
50–56	uv		**EA**: one slur throughout
67f	u.s.		**A**: slur as an exception here beginning on the tied octave
68, 72	u.s.		**A**: unclear whether slur is extended to bt. 1 of the subsequent bar
89–95, 104–143			**A**: literally repeated passages of the main section

have only been notated like a sketch (only the uv), in b. 104 (bt. 3) remark in l.s.: 'Nb. the bass for this 2nd part has to be copied from the first / second section before the Maggiore'; NA → b. 1–46

147			A: position of *p* unclear, probably not until bt. 3; NA follows **EA** and the musical context
148	l.s.	bt. 1	A: bass clef missing
153, 154, 158, 159	u.s.	1	A: ♮ before *b'♭* missing; added acc. **EA**
154	l.s.	bt. 3	A: bass clef missing; added acc. **EA**
166–168	u.s.		A: ♮ before *b'♭* and *b"♭* missing; added acc. **EA**
168	l.s.	1	A a.c.: the same chord as in b. 167
168	l.s.	1	A p.c.: ♮ before *B♭* missing; added acc. **EA**